Roger
Marilyn
R.
Janet
Janet
Linda
Linda
Barbara
Barbara

Janet
Dick
B.
Barbara
Linda
Marilyn
Dick
Sue
Sue
J.
John
B.
Barbara
Barbara
Marilyn

Charles
C.
B.
B.
B.
Barbara
Barbara
Dick
D.
Dick
Janet
Linda
B.
Charles
Barbara
Linda
Linda

Marilyn
m.
Marilyn
m.
Roger
Marilyn
m.
m.
Marilyn
m.
Marilyn
R.
m.
Marilyn
m.

Marilyn
Marilyn
Marilyn
Marilyn
M.
Marilyn
M.
Roger
Roger
Roger
R.

Barbara
Linda
Janet
Marilyn
Janet
J.
U.S.
J.
Linda
John
John
Janet
Dick

Janet
Barbara
Linda
C.
C.
Charles
Janet
Sue
S.
Sue
Janet
Janet
Sue

Charles
Marilyn
M.
John
J
C.
Marilyn
Marilyn
Dick
Linda
Sue